ANDE COM FÉ

Coragem e confiança para sua vida

—

CHARLES R. SWINDOLL

Traduzido por Emirson Justino

Os textos das referências bíblicas foram extraídos da *Nova Versão Transformadora* (NVT), da Editora Mundo Cristão (usado com permissão da Tyndale House Publishers, Inc.), salvo indicação específica.

CIP-Brasil. Catalogação na publicação
Sindicato Nacional dos Editores de Livros, RJ

S98a

Swindoll, Charles R.
Ande com fé: coragem e confiança para sua vida / Charles R. Swindoll; traduzido por Emirson Justino. — 1. ed. — São Paulo: Mundo Cristão, 2019.
128 p.

Tradução de: Faith for the journey: daily meditations on courageous trust in God
ISBN 978-85-433-0355-0

1. Vida cristã. 2. Vida espiritual. 3. Confiança em Deus. 4. Fé. I. Justino, Emirson. II. Título.

18-52691 CDD: 248.4
CDU: 27-584

Edição
Daniel Faria

Preparação
Luciana Chagas

Diagramação
Sonia Peticov

Revisão
Josemar de Souza Pinto

Produção
Felipe Marques

Colaboração
Ana Luiza Ferreira

Papel de miolo
Pólen Soft 70g/m²

Gráfica
Rettec

Categoria: Devocional
1ª edição: outubro de 2019 | 1ª reimpressão: 2020

Editora Mundo Cristão
Rua Antônio Carlos Tacconi, 69
São Paulo, SP, Brasil
CEP 04810-020
Telefone: (11) 2127-4147
www.mundocristao.com.br

SUMÁRIO

Introdução

Concluir o momento, encontrar o fim da jornada em cada passo da estrada, viver o máximo número de boas horas, é sabedoria. [...] *Uma vez que nosso ofício se dá por meio de momentos, casemo-nos com eles.*

Ralph Waldo Emerson

Nossa tendência é pensar na fé como algo de que só precisamos quando o futuro se torna incerto. Afinal, se temos uma carreira promissora, dinheiro no banco e um plano plausível para os próximos cinco anos, quem precisa de fé? Fazemos uso dela apenas em circunstâncias que nos fogem do controle, em que a escuridão oculta a estrada à frente. É então que nos voltamos para Deus, pedindo-lhe que nos guie em meio às armadilhas que não podemos ver.

Há dois erros fatais nesse modo de pensar. Em primeiro lugar, fé não é esperar que algo se torne verdade. Exercer a fé não é encarregar Deus de um desejo. "Senhor, mantém-me saudável." "Senhor, ajuda-me a ter uma boa renda." "Senhor, afasta-me de todo sofrimento." Esse tipo de coisa a gente diria a um gênio da lâmpada ou a uma fada-madrinha. O Antigo Testamento — e sobretudo a história da jornada de Abraão com Deus — define a fé como obediência. Fé consiste em fazer o que Deus nos manda fazer, mesmo que suas instruções pareçam perigosas ou possam ocasionar perdas e dores. Como descreve o autor Philip Yancey: "Fé significa crer de antemão no que só fará sentido de trás para frente".

Em segundo lugar, fé não é algo que usamos para controlar o futuro. A fé é para hoje.

Para este momento. O momento que você está vivendo agora. Fé é perguntar: "O que Deus quer que eu faça neste instante, aqui e agora?", e então fazer o que sabemos que é agradável a ele. É isso que vemos acontecer na maior parte da vida de Abraão como nômade. Em cada episódio do relato de vida do patriarca, ele teve de escolher entre as palavras de Deus e outras influências: o medo, os desejos, a pressão familiar, o perigo, a ganância — as mesmas distrações com que deparamos hoje.

Ao reservar tempo para estes breves vislumbres da história de Abraão, esqueça-se do passado e ignore o futuro. Torne-se um servo fiel do presente. Busque a vontade de Deus. Ouça a Palavra de Deus. Use estes momentos para perguntar o que Deus quer de você, e então faça.

Com isso, você andará com fé na jornada rumo ao melhor futuro possível.

Chuck Swindoll

Confiança

Nunca tenha medo de confiar um futuro desconhecido a um Deus conhecido.

Corrie ten Boom

Deixe sua terra natal, seus parentes e a família de seu pai e vá à terra que eu lhe mostrarei.

Gênesis 12.1

O chamado de Deus a Abrão começou com um imperativo, uma ordem clara. Deus lhe disse que saísse de seu país para uma terra que ele lhe mostraria... algum tempo depois. Para receber as bênçãos prometidas, Abrão tinha de deixar para trás tudo que ele considerava fonte de segurança e provisão — terras e parentes — e confiar que Deus honraria seu compromisso. Ele recebeu do Senhor um chamado para se mover, para partir como um nômade e deixar o conforto e tudo que lhe era familiar.

Coloque-se no lugar de Abrão por um momento. Você tem cerca de 75 anos, e sua esposa está na casa dos 60. Você morou a vida inteira no mesmo lugar. Tem uma propriedade em uma cidade conhecida, mora próximo da família e convive com a mesma comunidade desde que nasceu. De repente, o Senhor lhe aparece em uma manifestação sobrenatural e inegável e lhe diz que faça as malas e pegue a estrada para um lugar desconhecido.

Tudo em nós rejeita a ideia de grandes mudanças sem que haja antes grandes planejamentos. A maioria precisa ver onde vai pular antes de dar o salto. Mas Deus chamou Abrão para que obedecesse a esse chamado, embora a informação fosse incompleta. Abrão não sabia para onde estava indo, portanto não podia confiar em um plano de longo prazo meticulosamente elaborado. Todavia, o Senhor lhe deu informação suficiente para que tomasse uma decisão razoável.

Assim que encontrou o Senhor, Abrão soube que Deus era real. O maravilhoso esplendor da presença divina não deixou nenhum espaço para dúvidas. Enquanto os vizinhos achavam que ele havia perdido o juízo, Abrão tinha boas razões para confiar em Deus, mesmo sem saber todos os detalhes do plano.

Reflexão

Alguma vez o Senhor o chamou e não lhe deu todos os detalhes do que estava por vir? O que o ajuda a confiar nele mesmo sem ter toda a informação de que precisa?

Confio em Deus e não temerei.

Salmos 56.4

OBEDIÊNCIA COMPLETA

Deus é Deus. Porque ele é Deus, é digno de minha confiança e obediência. Não encontrarei descanso em outro lugar exceto em sua santa vontade, uma vontade que ultrapassa todas as minhas noções acerca do que ele planeja fazer.

ELISABETH ELLIOT

[Abrão] tomou sua mulher, Sarai, seu sobrinho Ló e todos os seus bens, os rebanhos e os servos que havia agregado à sua casa em Harã, e seguiu para a terra de Canaã.

GÊNESIS 12.5

Depois de passar grande parte da vida — talvez desde o nascimento — em Ur dos caldeus, Abrão foi instruído pelo Senhor a ir para um lugar a ser revelado posteriormente. Infelizmente, ele não respondeu com obediência completa, mas apenas em parte. Quando saiu de Ur, Abrão levou consigo seu pai, Terá, e seu sobrinho Ló.

Abrão seguiu na direção de Canaã — a terra que Deus lhe prometera —, mas não seguiu além de Harã, inicialmente. O texto não especifica por que ele parou ali, mas eu tenho uma teoria. Havia dois principais centros de adoração a Sin, o deus-lua, a quem a família de Abrão era devota: Ur dos caldeus e Harã. Não seria difícil imaginar que o pai de Abrão, a vida toda devoto do deus-lua, não conseguiria se desligar do santuário dessa divindade em Harã. Quando o pai de Abrão decidiu permanecer em Harã, Abrão deveria ter lhe dado adeus e prosseguido para Canaã.

Abrão também permitiu que seu sobrinho Ló o acompanhasse, possivelmente porque, não tendo seu próprio filho, talvez visse Ló como herdeiro em potencial. Com o progresso da história, porém, Ló se mostra uma distração ainda maior do que seu pai. Uma ameaça à vida, na verdade.

Se você sabe o que Deus quer que você faça, a obediência não é complicada. Pode ser difícil, mas não é complicada. Pare de esperar até que seja fácil e desista de buscar alternativas. Não espere mais até que todos os detalhes estejam resolvidos. O Senhor lhe deu uma oportunidade de crescer na fé. Ele quer que você confie em seu cuidado fiel e descanse em seu poder inabalável. O tempo de obedecer chegou. Agora... vá!

Rflexão

Deus o chamou para algo mas você está respondendo de forma hesitante? Que passo você pode dar hoje em direção a uma obediência completa?

> Ame o Senhor, seu Deus, de todo o seu coração, de toda a sua alma e de toda a sua força. Guarde sempre no coração as palavras que hoje eu lhe dou.
>
> Deuteronômio 6.5-6

Posto à prova

A misericórdia do Senhor muitas vezes cavalga até a porta do nosso coração montada no cavalo preto da aflição.

Charles Spurgeon

Naquele tempo, uma fome terrível atingiu a terra de Canaã, e Abrão foi obrigado a descer ao Egito [...]. Aproximando-se da fronteira do Egito, Abrão disse a Sarai, sua mulher: "Você é muito bonita. Quando os egípcios a virem, dirão: 'É mulher dele. Vamos matá-lo para ficarmos com ela'. Diga, portanto, que é minha irmã".

Gênesis 12.10-13

Para Abrão, essa crise de fome representou um grande teste. Embora Deus não tenha provocado essa crise, ele certamente a usou como instrumento para desenvolver a fé de Abrão.

Você pode esperar mais de uma prova divina em sua jornada de fé, mas Deus não usa as circunstâncias difíceis para descobrir o que faremos. Ele não nos testa para observar nossa resposta de fé. Ele já sabe o que o futuro reserva. Deus usa as provações para que nos revelemos *a nós mesmos*! Não raro, ele faz uso de uma prova no início de uma lição com o intuito de nos mostrar onde precisamos melhorar.

A prova divina costuma expor aquilo que pode ser chamado de nossa resposta padrão às crises. Em geral, começa com um reflexo de autopreservação. Com o tempo, aprendemos a responder ao estresse com agilidade de especialista, sem nem pensar direito. E, antes de percebermos, temos um mecanismo funcionando a plena carga, que assume o controle e nos impede de confiar em Deus. Para Abrão, esse mecanismo foi o engano.

Caso você esteja se sentindo superior neste exato momento, pensando que nunca mentiria como fez Abrão, eu gostaria de lhe oferecer uma advertência das Escrituras: "Portanto, se vocês pensam que estão de pé, cuidem para que não caiam. As tentações em sua vida não são diferentes daquelas que outros enfrentaram" (1Co 10.12-13). Ninguém acorda de manhã planejando cometer uma tremenda falha moral. É mais comum nossos dias começarem com a melhor das boas intenções e, então, sobrevir-nos uma crise. Um desafio de fé surge. De repente, a resposta padrão assume, e o cérebro pensa apenas no plano horizontal.

Reflexão

Quando sua fé é posta à prova, qual é sua resposta padrão? Peça ao Senhor que o ajude a confiar nele, e não em seu modo usual de reagir aos problemas.

> Como o fogo prova e purifica
> o ouro, assim sua fé está sendo
> experimentada, e ela é muito
> mais preciosa que o simples
> ouro. Isso resultará em louvor,
> glória e honra no dia em que
> Jesus Cristo for revelado.
>
> 1Pedro 1.7

Reflexo de Deus

Deus deseja tomar nossa face, essa parte exposta e reconhecível de nosso corpo, e usá-la para refletir sua bondade.

Max Lucado

[O faraó] disse: "O que você fez comigo? Por que não me disse que ela era sua mulher? Por que disse que era sua irmã e permitiu que eu a tomasse como esposa? Aqui está sua mulher. Tome-a e vá embora daqui!". O faraó ordenou que alguns de seus homens escoltassem Abrão, com sua mulher e todos os seus bens, para fora de sua terra.

Gênesis 12.18-20

Para salvar a pele, Abrão mentiu para o faraó dizendo que Sarai era sua irmã. No entanto, naquilo em que Abrão falhou para proteger sua esposa, o Senhor foi generosamente bem-sucedido em fazê-lo. Ele afligiu o faraó e sua casa com doenças graves (Gn 12.17).

O rei politeísta reconhecia o Deus de Abrão, mas não o considerava o único Deus verdadeiro. E o faraó temia o poder de uma divindade territorial adversária. Como a maioria das pessoas daquela época, ele via o mundo através das lentes da superstição. A visão antiga presumia que a causa geradora de doenças era espiritual, não física. Acreditava-se que a única maneira de curar um paciente era descobrir qual deus deveria ser aplacado por meio de sacrifícios. Quando a enfermidade afligiu a casa do faraó, ele aplacou seus deuses com sacrifícios e, então, tendo satisfeito a todos (segundo acreditava), presumiu que havia ofendido o Deus de Abrão.

Abrão deveria ter sido moralmente superior ao rei do Egito, mas o faraó ardeu de raiva justa e repreendeu o homem de Deus.

Conclusão muito triste. Não há como não se surpreender diante da opinião que o faraó teve do Deus de Abrão depois daquele episódio. E fico pensando a mesma coisa em relação a nós hoje: quantas pessoas deixam de abraçar o Deus da Bíblia porque continuam a viver nas sombras criadas por nossas falhas morais?

Reflexão

O que os não cristãos veem quando olham para sua vida? Será que ela é um reflexo preciso do único Deus verdadeiro?

> Da mesma forma, suas boas
> obras devem brilhar, para que
> todos as vejam e louvem seu
> Pai, que está no céu.
>
> Mateus 5.16

Prosperidade

A adversidade às vezes se impõe duramente sobre o homem; mas, para cada homem que consegue enfrentar a prosperidade, existem cem que enfrentarão a adversidade.

Thomas Carlyle

Então Abrão disse a Ló: "Não haja conflito entre nós, ou entre nossos pastores. Afinal, somos parentes próximos! A região inteira está à sua disposição. Escolha a parte da terra que desejar e nos separaremos".

Gênesis 13.8-9

A maioria de nós consegue enfrentar a adversidade com nosso melhor caráter. Nosso caráter verdadeiro, porém, se revela quando as coisas vão bem. Nesses momentos, é fácil tornar-se arrogante, cheio de si, soberbo, ganancioso e negligente.

Abrão retornou para Canaã com mais riqueza do que quando chegou ali, vindo de Ur dos caldeus. Gênesis 13.2 refere-se a ele dizendo que "era muito rico". A expressão hebraica significa literalmente "pesado". Diríamos hoje que Abrão era cheio da grana. Ele não havia reagido bem à dificuldade anteriormente. Como sua integridade se comportaria diante da prosperidade? O que esse teste divino revelaria sobre seu verdadeiro caráter?

Quando Abrão prosperou, seu sobrinho Ló também se beneficiou. Mas a prosperidade trouxe seus próprios desafios. A expansão dos rebanhos exigia uma quantidade cada vez maior de comida e água. Foi então que a vegetação e a água se tornaram insuficientes para alimentar os rebanhos dos dois homens.

Abrão poderia ter chamado Ló à sua tenda e dito: "Olhe, sou o adulto aqui, e você é o sobrinho. Além disso, Deus deu esta terra a mim, e não a você. Portanto, pegue seu rebanho e suas tendas e encontre sua própria terra em outro lugar!". Mas Abrão não fez isso.

Abrão primeiramente afirmou o relacionamento que tinham e expressou seu desejo de preservar a harmonia. Em vez de impor sua autoridade, ele se tornou um mentor. Com graça, Abrão tratou Ló como seu igual. Então, propôs uma solução que colocou Ló no controle de seu próprio destino. Esse foi um ato altruísta da parte de Abrão. Em sua fé crescente em Deus, ele passou no teste da prosperidade.

Reflexão

Em que ou em quem você confia seu sustento? Você confia em sua própria capacidade e conhecimento de negócio, ou aceita o que Deus providencia?

A ganância provoca brigas;
a confiança no Senhor conduz
à prosperidade.

Provérbios 28.25

Navegar sem mapa

Todas as verdades reveladas de Deus estão seladas até que sejam abertas por meio de nossa obediência.

Oswald Chambers

Ló olhou demoradamente para as planícies férteis do vale do Jordão, na direção de Zoar. A região toda era bem irrigada [...]. Ló mudou suas tendas para um lugar próximo de Sodoma e se estabeleceu entre as cidades da planície. O povo dessa região, porém, era extremamente perverso e vivia pecando contra o Senhor.

Gênesis 13.10,12-13

Quando Ló decidiu sobre qual terra escolher, ele não levou Deus em conta como fator determinante de seu futuro. Ele fez todos os seus cálculos com base em influências potenciais da natureza e da humanidade, nunca considerando que Deus poderia alterar o mundo a seu favor. Ele olhou para o vale do Jordão e avistou apenas vegetação verde e exuberante para seus rebanhos, além de solo rico e saudável para suas plantações.

Ló deixou de considerar o perigo potencial de se estabelecer entre as cidades gêmeas que ocupavam aquele vale. Nem uma vez sequer Ló pediu a orientação de Deus. De uma perspectiva puramente horizontal, a decisão foi extremamente fácil. Em consequência, tendo a ganância como seu guia, ele colocou a si mesmo, sua família e seu futuro em risco.

Não consigo imaginar por que alguém desejaria ignorar esse componente vertical. É como tentar navegar sem um mapa — limitando-se apenas àquilo que se pode ver e ouvir nas proximidades —, quando se poderia ter um aparelho de GPS dando instruções curva a curva. Deus não apenas consegue ver tudo que não podemos; ele *quer* nos guiar em meio a essa paisagem perigosa e nos levar em segurança ao nosso destino.

Estou ciente de que não recebemos visitas de Deus em forma visual e audível. Mesmo assim, o Senhor fala e nos orienta. Ele está ali, e quer conduzi-lo.

Reflexão

Como você vê o mundo? Sua perspectiva está presa ao plano horizontal, ou você olha para o alto em busca dos conselhos de Deus?

> O Senhor diz: "Eu o guiarei pelo melhor caminho para sua vida, lhe darei conselhos e cuidarei de você".
>
> Salmos 32.8

À ESPERA

Talvez ele postergue porque não seria seguro conceder-nos o que pedimos: não estamos prontos para recebe-lo. [...] *A postergação pode servir para aproximar-nos de nossa ajuda, para aumentar o desejo, aperfeiçoar a oração e amadurecer a condição receptiva.*

GEORGE MACDONALD

Sarai disse a Abrão: "O SENHOR me impediu de ter filhos. Vá e deite-se com minha serva. Talvez, por meio dela, eu consiga ter uma família". Abrão aceitou a proposta de Sarai.

GÊNESIS 16.2

Quando Ismael nasceu, Abrão estava com 86 anos. Se pularmos adiante para ler sobre o nascimento de Isaque, o verdadeiro filho da aliança de Abrão com Deus, veremos que na ocasião o patriarca somava 100 anos. Abrão e Sarai tentaram apressar Deus, no intuito de fazer o Senhor se adequar à agenda deles, mas se passaram mais catorze longos anos até que recebessem sua bênção. O fato de tomarmos a dianteira não pressiona Deus a apressar sua agenda. Quando tentamos coagi-lo para que ele nos dê o que queremos, no instante em que queremos, ele responde: "Você não está pronto. Essa bênção não é boa para você neste momento. Você tem muito que aprender... Portanto, confie em mim. E não espere que eu lhe dê alguma explicação".

Talvez hoje você se veja na mesma situação difícil de Abrão e esteja fazendo aquele famosa oração: "Senhor, depressa!". Você quer respostas agora, quer a bênção dele agora. Está convencido de que já esperou demais. Esperar é difícil, e você quer progresso, de modo que sua grande tentação quando o Senhor parece não estar fazendo nada é fazer as coisas por conta própria. Sua situação difícil já se arrastou por tempo demais, e você está cansado dela.

Se isso descreve você (e, se não descreve, em breve descreverá!), tenho uma palavra para lhe dizer: *espere*.

Quando somos forçados a esperar, o Senhor nos ajuda a adquirir apetite pela bênção que virá. Enquanto isso, ele constrói nossa maturidade a fim de que, quando o cumprimento enfim chegar, estejamos preparados para desfrutar sua bênção plenamente.

Reflexão

Você está esperando alguma coisa de Deus neste momento? Como ele pode usar as circunstâncias para edificar seu amadurecimento durante o processo?

> Espere pelo Senhor e seja valente e corajoso; sim, espere pelo Senhor.
>
> Salmos 27.14

O Todo-poderoso

A profunda comunhão com Deus está além das palavras, no outro lado do silêncio.

Madeleine L'Engle

Quando Abrão estava com 99 anos, o Senhor lhe apareceu e disse: "Eu sou o Deus Todo-poderoso".

Gênesis 17.1

Treze anos se passaram, e Abrão nada ouviu de Deus. Não houve visão. Não houve voz. Não houve visitação. Apenas silêncio. Tente imaginar um silêncio completo da parte de Deus por treze anos.

Abrão não havia lidado muito bem com o período anterior de silêncio. Depois da primeira aparição de Deus em Ur, pode-se dizer que Abrão falava regularmente com ele. Em mais de uma ocasião, o Senhor lhe apareceu reafirmando suas promessas. Perto de seu 79º aniversário, o patriarca se encontrou com Deus depois de uma vitória miraculosa no campo de batalha; em seguida, porém, ficou sem ouvir nada por outros seis ou sete anos. Então, quando já estava com 85, ele e Sarai decidiram pôr em prática seu próprio plano.

Quando essa decisão de correr na frente do plano de Deus mostrou-se assombrosamente malsucedida, Abrão chegou a um tipo de fim. Como disse alguém: "Ele finalmente chegou ao fim de si mesmo". Ainda que seu anseio pela promessa permanecesse em lugar de destaque em sua mente, ele finalmente rendeu-se à onisciência e ao cuidado soberano do Senhor.

Nesse encontro com Deus, Abrão não fez perguntas ou reclamações sobre sua longa espera; ele simplesmente "prostrou-se com o rosto em terra" (Gn 17.3) diante de seu Amigo divino.

Depois de treze anos, o Senhor rompeu o silêncio. Quando reapareceu a Abrão, ele disse: "Eu sou El-Shaddai". Uma boa paráfrase seria: "Eu sou Deus; mais especificamente, o Todo-poderoso".

A mensagem direta que Deus comunicou por meio desse nome, depois de um longo silêncio, é esta: "Embora eu às vezes fique silencioso, continuo no controle das circunstâncias". O Senhor disse, com todas as letras: "Não fui embora; estive aqui o tempo todo".

Reflexão

Houve um tempo em sua vida em que Deus pareceu silencioso? Como ele se mostrou a você como o Todo-poderoso?

> Eu serei seu Pai, e vocês serão meus filhos e minhas filhas, diz o Senhor Todo-poderoso.
>
> 2Coríntios 6.18

MAIS FUNDO

A superficialidade é a maldição de nossa época [...]. *Nossa mais urgente necessidade não é a de um maior número de pessoas inteligentes ou talentosas, mas de pessoas profundas.*

RICHARD FOSTER

Farei uma aliança com você e lhe darei uma descendência incontável.

GÊNESIS 17.2

Cerca de 25 anos se passaram desde que o Senhor havia falado com Abrão em Ur. Desde então, as raízes espirituais desse homem haviam penetrado fundo no solo da fé em seu Deus. Depois de longa espera, ele confiou na promessa do Senhor e descansou em sua vontade soberana. Ele agora era capaz de receber as bênçãos da aliança.

O Senhor anunciou: "Farei uma aliança com você". Essa aliança, é claro, não era nova; Deus já a tinha firmado anteriormente. Ele simplesmente a confirmou como um prenúncio de que havia chegado o tempo para o cumprimento da primeira parte. Para que Abrão se tornasse pai de uma multidão de nações, ele precisaria ser pai de um filho com Sarai.

A fim de marcar esse momento, Deus deu a Abrão um novo nome. Seu nome de nascimento, "pai exaltado", honrava o deus-lua, adorado por seu pai. Seu novo nome, Abraão, significa "pai de uma multidão". Quando as pessoas perguntassem sobre a importância de seu nome, ele poderia explicar: "Recebi esse nome porque El-Shaddai fez uma aliança comigo. Meus descendentes, tão incontáveis quanto as estrelas, se tornarão uma nação, e eles herdarão a terra na qual vocês estão agora". Mas Abrão não estava preparado para esse novo nome, para essa nova designação, enquanto não fosse mais fundo em sua caminhada com Deus.

Ano após ano, nossas escolas despejam uma enorme quantidade de pessoas formadas. As principais empresas encontram as mais inteligentes. Indivíduos capacitados viajam aos bandos para os grandes centros comerciais em Nova York, Londres, Paris, Berlim. Mas pessoas de profundidade são raras. Não há muita gente com a intenção ou a paciência de cultivar raízes espirituais profundas. Desafio você a ir mais fundo em si mesmo — e a estar atento a pessoas profundas. Procure com cuidado. Você não as encontrará aos montes.

Reflexão

Em que âmbitos você tem vivido um relacionamento superficial com Deus? Como pode aprofundá-lo?

Aprofundem nele suas raízes e
sobre ele edifiquem sua vida.

Colossenses 2.6-7

O SEGREDO DA ORAÇÃO

A oração é o âmago da vida cristã. É a única coisa necessária. [...] *É viver com Deus aqui e agora.*

HENRY NOUWEN

O SENHOR disse a Abraão: "Ouvi um grande clamor vindo de Sodoma e Gomorra, porque o pecado dessas duas cidades é extremamente grave" [...]. [Abraão] aproximou-se dele e disse: "Exterminarás tanto os justos como os perversos? Suponhamos que haja cinquenta justos na cidade. Mesmo assim os exterminarás e não a pouparás por causa deles?".

GÊNESIS 18.20,23-24

Tal como ocorre com muitas pessoas, minha primeira abordagem à oração foi simplista: "Peça a Deus o que você quer. Se pedir corretamente ou se impressioná-lo o suficiente, ele pode conceder seu pedido. Ou não. Quem é que sabe?". Mas, à medida que aprendi mais sobre a oração, descobri que muito do meu pensamento estava obscurecido pelas interpretações equivocadas que prevaleciam na cultura popular.

Quando você começa do zero e observa as Escrituras atentamente, a oração não é, de modo algum, confusa. É profunda, mas não complicada. Tiago 4.2 apresenta isso de forma simples: "Não têm o que desejam porque não pedem".

É claro que isso não é garantia de que você terá a resposta para o que está procurando. Abraão foi ao Senhor com um pedido de salvação para Sodoma e Gomorra. Deus ouviu seu pedido, e embora não o tenha concedido como esperado por Abraão, essa conversa aprofundou o relacionamento entre eles.

Deus quer conceder nossos pedidos, mas impossibilitamos que ele faça isso quando pedimos coisas que contradizem seu caráter justo e amoroso. O que você faria se seu filho pedisse algo que lhe pudesse causar dano? O amor por seu filho exigiria que você negasse tal pedido.

Precisamos buscá-lo continuamente para garantir que nossos pedidos e nossa motivação estejam alinhados à sua vontade. Então, quer ele diga "sim", "não" ou "espere", nossas orações nos levarão para cada vez mais perto dele.

Reflexão

O que você tem pedido a Deus já há algum tempo? Reserve um momento para avaliar seu pedido e sua motivação. Deus está dizendo "sim", "não" ou "espere"?

> E, quando pedem, não recebem,
> pois seus motivos são errados; pedem
> apenas o que lhes dará prazer.
>
> Tiago 4.3

O VENENO DA IMPUREZA

Se não tivermos inimigos, devemos temer o fato de não sermos amigos de Deus, pois a amizade com o mundo significa inimizade com Deus.

CHARLES SPURGEON

Ao anoitecer, os dois anjos chegaram à entrada da cidade de Sodoma. Ló estava sentado ali.

GÊNESIS 19.1

Quando Deus fez uma visita a Sodoma e Gomorra, essas duas cidades gêmeas controlavam um vale exuberante e fértil pelo qual corria o rio Jordão. Esses dois centros populacionais eram o núcleo de atividade econômica de todos que viviam na região sul do vale, e a riqueza que ali havia provavelmente contribuiu para a beleza de sua arquitetura e de sua arte. Apesar disso, a imoralidade dessas cidades havia se tornado notória, mesmo entre as comunidades pagãs e adoradoras de ídolos localizadas fora do vale. Um fino verniz de beleza protegia os olhos desinformados da verdadeira natureza das duas cidades.

No antigo Oriente Médio, o portão sediava a prefeitura local. Os anciãos se reuniam ali para debater questões, conduzir acordos comerciais, resolver disputas e até mesmo aconselhar o governante da cidade sobre assuntos civis. Os primeiros leitores desse texto teriam levantado as sobrancelhas ao descobrir que Ló estava sentado junto ao portão. Esse detalhe revelava que ele não era um residente comum, pois havia se tornado um participante ativo na política e no comércio de Sodoma.

Ora, por que Ló se alinhara tão intimamente a uma cidade cheia de maldade? Ele provavelmente se convencera de que seria capaz de evitar cair em algum pecado grosseiro, ao mesmo tempo que mantinha um testemunho positivo do Deus de Abraão. O que ele não percebeu, no entanto, foi que ao longo do tempo ele se tornou insensível à maldade daquele lugar.

Não podemos evitar a associação casual com pessoas malignas; devemos ter amizade com todos, mas cultivar relacionamentos profundos com pessoas imorais é perigoso para nossa saúde espiritual. Isso não significa que os cristãos devem evitar contato com pessoas de outras religiões ou filosofias. Se, porém, essas pessoas tiverem um estilo de vida maligno, é apenas questão de tempo até que os problemas delas se tornem os nossos problemas.

A imoralidade é venenosa. Você nunca se torna imune à sua potência mortal. É como o esgoto que vaza de uma fossa: contamina tudo que há por perto.

Reflexão

Pense nas pessoas de quem você tem se aproximado. Como você as tem influenciado? Como elas têm influenciado você?

> Não se ponham em um jugo desigual com os descrentes. Como pode a justiça ser parceira da maldade?
>
> 2Coríntios 6.14

O PERIGO DA RACIONALIZAÇÃO

Se Deus não punir nosso país, terá de pedir desculpas por Sodoma e Gomorra.

BILLY GRAHAM

Os anjos perguntaram a Ló: "Você tem outros parentes na cidade? Tire-os todos daqui [...], pois estamos prestes a destruir toda a cidade. O clamor contra ela é tão grande que chegou ao SENHOR, e ele nos enviou para destruí-la".

GÊNESIS 19.12-13

Para um observador objetivo, Ló e sua esposa foram completamente tolos. Construíram seu lar numa ilha dentro de uma fossa e, quando a morte espreitou por sobre a cabeça deles, não quiseram partir. Temos dificuldade para enxergar essas figuras históricas como pessoas reais, semelhantes a nós, e se não tivermos cuidado vamos julgar Ló e sua esposa com severidade excessiva. O fato é que, em muitos aspectos, não somos diferentes. Embora estejamos separados por 3.500 anos, milhares de quilômetros e um idioma, lutamos com as mesmas fragilidades e os mesmos desejos de nossa natureza humana.

Então, por que Ló, que no Novo Testamento é considerado um homem justo (2Pe 2.7), pôde viver confortavelmente em Sodoma? Porque, com o passar do tempo, sua percepção da realidade foi sendo distorcida. Ele justificou suas escolhas insensatas com pequenas desculpas e justificativas.

Talvez você não esteja tão iludido quanto Ló e sua esposa. Ainda assim, reflita de modo objetivo sobre sua situação atual. O que você está tolerando? Onde está fazendo concessões? Pode ser que esteja permitindo que a pornografia polua seu lar ou sua mente. Pode ser que esteja guardando os segredos de um parceiro abusivo, que causa em você ou em outros um dano contínuo. Pode ser que esteja fraudando registros financeiros onde trabalha, algo que você racionalizou dizendo que isso o ajuda a sustentar sua família.

Não se engane. Se é errado, é importante. Se é um erro habitual, é ainda mais importante. Chegou a hora de todos nós abrirmos os olhos e examinarmos nosso lar, nossa vizinhança e nosso país de maneira objetiva. Não podemos ser negligentes quanto àquilo que é correto e justo.

Reflexão

Quais pecados você tolera em sua vida? Para quais maldades você tem procurado desculpas?

> Portanto, removam toda impureza e maldade e aceitem humildemente a palavra que lhes foi implantada no coração, pois ela tem poder para salvá-los.
>
> Tiago 1.21

O CICLO DO PECADO

A conversão da alma é um milagre de um momento; a construção de um santo é tarefa de uma vida inteira.

ALAN REDPATH

Abraão apresentava Sara, sua mulher, dizendo: "Ela é minha irmã". Por isso, o rei Abimeleque, de Gerar, mandou buscar Sara para seu palácio.

GÊNESIS 20.2

O nascimento de um bebê é um evento momentâneo, que acontece em uma questão de horas. Naquele momento, porém, a vida apenas se inicia. O crescimento e a maturidade ocorrem de maneira firme e gradual à medida que a criança se desenvolve da infância para a vida adulta. Mesmo depois de depositar nossa confiança em Jesus Cristo e começar a crescer após o novo nascimento, jamais alcançaremos um estado de perfeição completa. Não nesta vida. O pecado continua a nos espreitar. Lutamos contra velhas tentações. Às vezes, voltamos a cair em padrões egoístas familiares. Retornamos aos pecados do passado. E nisso reside uma das mais lamentáveis verdades sobre a vida de fé: pessoas fiéis às vezes abandonam sua fé apenas para serem temporariamente infiéis.

Abraão é um precursor da fé para o restante de nós. Como nós, Abraão lutou continuamente para superar antigas tentações e vencer pecados reincidentes. No caso dele, isso significou lutar contra a compulsão por mentir nos momentos em que a verdade poderia colocar sua vida em risco.

Após assistir à destruição de Sodoma e Gomorra, Abraão preparou a mudança e foi para uma área guardada pela cidade de Gerar. Vendo-se cercado por indivíduos que poderiam matá-lo a fim de levar Sara para seu harém, mais uma vez Abraão apresentou sua esposa como se fosse sua irmã. E, como antes, o plano falhou. O rei descobriu a mentira de Abraão e ficou compreensivelmente indignado. Ainda assim, Deus usou Abraão para revelar sua verdadeira natureza a um rei pagão (Gn 20.6-7).

Nós, cristãos, às vezes deixamos de confiar em nossa nova natureza. Em vez disso, retrocedemos à velha condição, e foi exatamente assim que Abraão agiu. Contudo, seu fracasso não fez dele menos homem de Deus. Quando caímos, podemos ir a Deus com o coração arrependido e crer que ele continuará nos amando e nos usando para seus santos propósitos.

REFLEXÃO

Existem certos hábitos que tendem a reaparecer quando você enfrenta uma situação difícil? O que pode ajudá-lo a lembrar-se da nova natureza que Deus lhe deu?

> Não voltem ao seu antigo
> modo de viver, quando
> satisfaziam os próprios desejos.
>
> 1PEDRO 1.14

O TEMPO PERFEITO

Aquele que crê não se apressa, mas espera pacientemente pelo tempo de refrigério e atreve-se a confiar a Deus o dia de amanhã.

JEREMY TAYLOR

O SENHOR agiu em favor de Sara e cumpriu o que lhe tinha permitido. Ela engravidou e deu à luz um filho para Abraão na velhice dele, exatamente no tempo indicado por Deus.

GÊNESIS 21.1-2

Deus não tem pressa. Ele não teve nenhuma dificuldade em esperar um quarto de século para permitir que Abraão e Sara concebessem. Quem pode saber por que ele esperou tanto tempo? O chamado era dele, e o tempo dele é perfeito. Pessoalmente, creio que Abraão não estava pronto antes disso. Abraão precisava de maturidade espiritual, por isso o Senhor esperou.

Enxergamos todos os eventos a partir da limitada perspectiva do tempo. É como tentar dirigir um carro olhando através de um canudo. Estamos aqui embaixo, no nível da rua, e nossa visão mal consegue enquadrar a paisagem. Deus, porém, não está restrito pelo tempo ou pela perspectiva humana. Ele vê os eventos do alto, absorvendo o panorama completo, desde Gênesis 1.1 até o fim dos tempos, e ele enxerga todos os fatos de uma só vez. Enquanto corremos por estarmos atrasados para alguma coisa, o Senhor não precisa correr porque ele mantém controle total sobre o tempo. Em menos de nanossegundos, ele arranjou detalhada e previamente o desenrolar de seus planos.

Para nós, que estamos dentro do fluxo do tempo, a espera muitas vezes parece eterna. Quando estou com pessoas que não conheço muito bem, costumo perguntar: "Você está esperando alguma coisa?". Invariavelmente, elas têm uma resposta. Todo mundo que conheço está esperando algo. Esperando alívio. Esperando uma resposta à oração. Esperando a realização de um sonho. Aqueles que se aprofundaram em seu relacionamento com Deus aprenderam a esperar com expectativa em vez de se preocupar. Eles sabem que Deus cumpre suas promessas, por isso não ficam preocupados *se* o cumprimento acontecerá, mas apenas com relação a *quando* ele se dará.

Reflexão

O que você está esperando neste momento? O que significa para você saber que Deus sempre age na hora certa?

> Assim diz o Senhor: "No tempo certo, eu lhe responderei, no dia da salvação, o ajudarei".
>
> Isaías 49.8

Cumprindo o impossível

Construído por Deus e feito à sua imagem, o homem tem em seu coração fome por conhecer a imensidão e a eternidade do plano divino.

Walter Kaiser

Abraão tinha 100 anos quando Isaque nasceu. Sara declarou: "Deus me fez sorrir. Todos que ficarem sabendo do que aconteceu vão rir comigo!".

Gênesis 21.5-6

Finalmente, na época designada, Abraão e Sara receberam o cumprimento de sua promessa. Aos 90 anos, Sara deu à luz um filho e, em obediência a Deus, deu-lhe o nome de Isaque, que significa "ele ri". Anos antes, Abraão caíra na risada ao ouvir o Senhor afirmar que Sara, sua mulher, daria à luz a um filho. Quando Deus veio outra vez para anunciar: "Voltarei a visitar você por esta época, no ano que vem, e sua mulher, Sara, terá um filho" (Gn 18.10), Sara também riu em descrença. Ela já estava com a idade da maioria das bisavós daquele tempo. Nem ela nem Abraão conseguiam imaginá-la dando à luz e amamentando seu próprio filho.

Quando Deus realizou o impossível por meio desse casal idoso, a risada de descrença deles transformou-se em sorriso de alegria, de prazer, de louvor. Eles agora viam significado ainda maior no nome Isaque.

Nada acontece fora do plano de Deus, e tudo acontece exatamente no tempo por ele estabelecido. Porque cada evento ocorre em uma época fixada, nada surpreende o Senhor. É isso o que os teólogos querem dizer quando aplicam a Deus o termo *soberania*. Ele tem um plano, e ele tem o poder e o desejo de levá-lo adiante.

Algumas pessoas não gostam do conceito de soberania e da existência de um plano divino predeterminado. Isso faz que se sintam desimportantes, como se não tivessem voz sobre o próprio destino. Mas o plano predeterminado de Deus não nos reduz a robôs que devem seguir um programa.

Crescemos quando olhamos para o plano divino não como algo que diminui a humanidade ao tirar de nós o livre-arbítrio, mas como um meio pelo qual ele restaurará a verdadeira liberdade — e realizará seus planos impossíveis.

Reflexão

Que coisas impossíveis Deus fez em sua vida no passado? Para você, o que significa dizer que Deus é soberano?

> Fiz do Senhor Soberano meu
> refúgio e anunciarei a todos
> tuas maravilhas.
>
> Salmos 73.28

ORAÇÕES NÃO RESPONDIDAS

Cumprir a vontade de Deus me deixa sem tempo para contestar seus planos.

GEORGE MACDONALD

[Sara disse:] "Quem diria a Abraão que sua mulher amamentaria um bebê? E, no entanto, em sua velhice, eu lhe dei um filho!"

GÊNESIS 21.7

Muito tempo depois de Abraão e Sara terem perdido qualquer esperança de desfrutar dessa alegria, eles tinham nos braços seu próprio filho. Teria sido fácil perder a esperança quando o cumprimento da promessa não aconteceu do jeito ou no tempo que eles esperavam. Sua confiança no Senhor, porém, foi mais profunda que sua perspectiva humana, mais profunda que suas dúvidas.

Ao olhar para trás, lembro-me de orações que Deus optou por deixar de lado, e justamente por isso é que sou grato. Em vez de atendê-las, Deus me deu aquilo de que eu precisava. E o que ele me deu me trouxe felicidade ainda mais duradoura e alegria ainda mais profunda.

No entanto, quando estamos em meio a uma provação ou passando por um tempo de espera, pode ser difícil ter essa perspectiva. O que fazer nessas ocasiões?

Primeiro, podemos pedir ao Senhor força sustentadora e sabedoria divina. Sei que isso soa óbvio, mas muitas vezes nos esquecemos de que não podemos levar a vida à nossa própria maneira. Precisamos de ajuda divina diariamente. Além disso, necessitamos de força e sabedoria sobrenaturais para esperarmos o desdobramento do plano divino. Coisas boas vêm para aqueles que esperam.

Segundo, podemos nos perdoar por sermos míopes e por deixarmos de ver o quadro mais amplo. Podemos nos perdoar por nos apegarmos quando deveríamos ter soltado, por não nos alegrarmos pelo que está adiante quando o plano de Deus não incluir os nossos planos. Arrependamo-nos de nossas falhas, recebamos o perdão de Deus e então perdoemos a nós mesmos.

Aprendi isto na minha vida: a última pessoa a quem perdoamos é a nós mesmos. Deus perdoa você — por que não fazê-lo também?

No tempo devido, você perceberá, como Abraão percebeu, que, no plano designado por Deus, o melhor ainda está por vir.

Reflexão

Você perdeu a esperança em alguma área de sua vida? Peça a Deus que o fortaleça e busque a perspectiva dele para a situação.

> O Senhor cumprirá seus planos
> para minha vida, pois teu amor,
> ó Senhor, dura para sempre.
>
> Salmos 138.8

Consequências

As pessoas se satisfazem quando se prega contra os pecados dos patriarcas, mas não gostam quando se fala contra os pecados de hoje.

Dwight L. Moody

[Sara] disse a Abraão: "Livre-se da escrava e do filho dela! Ele jamais será herdeiro junto com meu filho, Isaque!". Abraão ficou muito perturbado com isso, pois Ismael era seu filho.

Gênesis 21.10-11

Gênesis 21 nos apresenta um homem cujo pecado anterior o assombra e prejudica as pessoas que ele ama. O nascimento de seu tão esperado herdeiro, Isaque, deu a Abraão e Sara grande alegria, mas a felicidade do casal ficou manchada pelo remorso.

Cerca de quinze anos antes, eles haviam tentado adiantar o plano de Deus. Na pressa de receber o cumprimento da promessa divina, planejaram ter um filho de acordo com seus próprios termos e no tempo que consideravam mais adequado. Então, a serva egípcia de Sara, Hagar, deu à luz um menino e colocou-lhe o nome de Ismael — um filho de Abraão, mas não o esperado filho da promessa.

Ismael representava a transigência; Isaque era o verdadeiro filho da promessa. E, por três anos, o conflito fermentou. Por fim, chegou ao ápice em uma festa de família, e, quando tudo acabou, Sara exigiu que Abraão enviasse Hagar e Ismael para o deserto.

Uma das verdades mais consoladoras das Escrituras é a de que Deus perdoa nossos pecados. O salmista transmite essa verdade com palavras poderosas: "De nós ele afastou nossos pecados, tanto como o Oriente está longe do Ocidente" (Sl 103.12). Embora seja verdade que Deus perdoa nossos pecados e limpa qualquer mácula de nosso relacionamento com ele, nossa iniquidade pode ter consequências persistentes. Deus perdoa o pecado, mas não altera os eventos a fim de reverter seus efeitos no mundo.

Tudo isso aponta para uma dura, mas útil verdade: *Embora todo ato de pecado seja perdoável, os efeitos de alguns pecados não são apagáveis.* Podemos aprender uma lição com a vida de Abraão, reconhecendo que o pecado é como uma onda que reverbera através de gerações, causando danos mesmo àqueles que ainda nem nasceram.

Reflexão

Que consequências do pecado alheio você já vivenciou? Que consequências do seu pecado podem atingir outras pessoas?

> Mostras tua bondade a milhares de pessoas, mas também permites que as consequências do pecado de uma geração recaiam sobre a geração seguinte.
>
> Jeremias 32.18

Nunca sozinho

A vontade de Deus nunca nos levará aonde a graça não pode nos sustentar.

Billy Graham

[Hagar] foi sentar-se sozinha, uns cem metros adiante. "Não quero ver o menino morrer", disse ela, chorando sem parar. Mas Deus ouviu o choro do menino e, do céu, o anjo de Deus chamou Hagar: "Que foi Hagar? Não tenha medo! Deus ouviu o menino chorar, dali onde ele está".

Gênesis 21.16-17

Forçada a deixar as terras de Abraão, Hagar vagou pelo deserto de Berseba, região quase cinquenta quilômetros a sudoeste de Hebrom. Como a maioria dos pais ou mães que acabam sozinhos no cuidado dos filhos, Hagar enfrentou o desafio da sobrevivência, cuidando para que uma pequena provisão cobrisse suas muitas necessidades e duvidando de que Deus ainda se importasse com ela.

Talvez, neste momento, você esteja se sentindo sozinho. Seu futuro é gélido, e você não consegue se lembrar da última vez que deu boas risadas. Sua alma está árida, e você não sabe para onde ir.

Sob o risco de soar como um pregador, posso lhe oferecer algumas palavras de esperança?

Você precisa saber que, embora se sinta completamente só, não está. Deus o vê. Ele ouve seu choro. Ele se importa com você e transformará seu pranto em dança. As noites são longas, mas Deus o sustentará e o restaurará. Ele se preocupará com você em meio à sequidão de

Berseba. Você ficará são novamente — e mais cedo do que pensa.

Se você se identifica com Hagar, tenha esperança. Quando sua vida se recuperar desse tempo de escuridão, a força que terá ganhado compensará os dias difíceis. Nesse meio-tempo, eu repito: por favor, saiba que Deus não o abandonou. Enquanto Hagar chorava desesperadamente e seu filho estava prostrado de sede, Deus lhes ouviu o pranto. Ele sabe que você está preso entre arrependimento profundo e amargura corrosiva. Ele o entende. E nunca o deixará sozinho.

Reflexão

Deus já lhe enviou, de algum modo, uma mensagem para lhe mostrar que você não está sozinho? Reserve um momento para agradecer-lhe por ouvir seu choro.

> Não se assuste; você não será envergonhada. Não tenha medo; você não sofrerá humilhação. [...] Pois o Senhor a chamou de volta de seu lamento.
>
> Isaías 54.4,6

O SACRIFÍCIO DEFINITIVO

Deus quer que o amemos mais do que Abraão amou Isaque.

WATCHMAN NEE

"Abraão!", Deus chamou. [...]
"Tome seu filho, seu único filho, Isaque, a quem você tanto ama, e vá à terra de Moriá. Lá, em um dos montes que eu lhe mostrarei, ofereça-o como holocausto."

GÊNESIS 22.1-2

Alguns anos depois do nascimento de Isaque, conforme prometido por Deus, chegou o tempo de desafiar Abraão com uma prova suprema. Deus, é claro, é onisciente. Ele não coloca pessoas à prova para ver quão bem a fé reage sob fogo; ele prepara provas de fé para mostrar *a nós* o que ele fez conosco.

Nesse ponto da jornada empreendida por Abraão, sua fé foi posta à prova por meio de uma ordem incomum e inesperada. Deus disse: "Tome seu filho, seu único filho, Isaque, a quem você ama, e vá para a região de Moriá. Sacrifique-o ali como holocausto num dos montes que lhe indicarei" (Gn 22.2).

Quando Abraão e Isaque chegaram ao lugar indicado por Deus, Abraão construiu um altar. A sensação talvez tenha sido a mesma de arrumar os lençóis de um leito de morte. O pai fiel então olha para seu filho e diz calmamente: "Deite-se sobre o altar, Isaque".

No momento final, o Senhor interveio e providenciou um carneiro para ser sacrificado no lugar de Isaque. Mas, nesse dia, Abraão passou na prova derradeira. O Senhor permitiu que esse drama se desenrolasse até o último instante a fim de demonstrar a integridade da fé do patriarca, tanto para o próprio Abraão quanto para o mundo todo.

Pense em alguma provisão de que você precisa e que somente Deus pode lhe conceder. Do que você realmente precisa do Senhor? Siga o exemplo de Abraão. Não diga antecipadamente ao Senhor o que fazer e não desperdice seu tempo imaginando como ele poderia fazê-lo. Simplesmente confie nele. Aceite qualquer coisa que ele escolher prover, por mais improvável ou incomum que seja. E, em todo o tempo, descanse em seu amor infalível e em seu caráter justo.

Reflexão

Qual seu maior tesouro neste mundo?
O que você responderia a Deus se ele
lhe pedisse essa pessoa ou esse bem?

> Pela fé, Abraão, ao ser posto à prova,
> ofereceu Isaque como sacrifício.
> Hebreus 11.17

ALÉM DAS EXPECTATIVAS

Pai, desejo conhecer-te, mas meu coração covarde teme abrir mão de seus brinquedos. Por favor, extirpa do meu coração todas aquelas coisas que estimo há tanto tempo e que se têm tornado parte integrante do meu "eu", a fim de que tu possas entrar e habitar ali sem nenhum rival.

A. W. TOZER

Assim diz o SENHOR: Uma vez que você me obedeceu e não negou nem mesmo seu filho, seu único filho, juro pelo meu nome que certamente o abençoarei. Multiplicarei grandemente seus descendentes, e eles serão como as estrelas no céu e a areia na beira do mar. Seus descendentes conquistarão as cidades de seus inimigos e, por meio deles, todas as nações serão abençoadas. Tudo isso porque você me obedeceu.

GÊNESIS 22.16-18

Conforme subiam a montanha, antes mesmo de saber como Deus iria intervir, Abraão garantiu a Isaque que Deus providenciaria um sacrifício. E Deus de fato o fez. "Então Abraão levantou os olhos e viu um carneiro preso pelos chifres num arbusto. Pegou o carneiro e o ofereceu como holocausto em lugar do filho. Abraão chamou aquele lugar de Javé-Jiré. Até hoje, as pessoas usam esse nome como provérbio: 'No monte do SENHOR se providenciará'" (Gn 22.13-14). Uma tradução mais literal da expressão *Javé-Jiré* seria "o SENHOR cuidará disso".

O Senhor espera muito daqueles que afirmam confiar nele. Os rigores e os riscos da fé precisam ser assombrosos; do contrário, não se trata realmente de fé. Mas Deus não é apenas justo; ele se deleita em nos surpreender ao exceder nossas expectativas. Ele recompensa com bênçãos inimagináveis a fé que assume riscos.

Esse é o caso de Abraão. Quanto a seus descendentes, eles são de fato inumeráveis. E até hoje o Senhor preserva seu povo, Israel, e lhe reserva grandes planos para o futuro. Por quê? Porque Deus cumpre o que promete e, ao fazê-lo, excede nossas expectativas.

Reflexão

Em que situações Deus providenciou muito mais do que você esperava? Você tem confiado que ele resolverá quais de seus problemas atuais?

> Toda a glória seja a Deus que, por seu grandioso poder que atua em nós, é capaz de realizar infinitamente mais do que poderíamos pedir ou imaginar.
>
> Efésios 3.20-21

Companheiros de viagem

A vida cristã não é um assunto privado.

John R. W. Stott

Quando Sara estava com 127 anos,
morreu [...] na terra de Canaã.
Abraão lamentou a morte de Sara
e chorou por ela.

Gênesis 23.1-2

Na primeira parte de sua vida juntos, Abraão e Sara adoraram muitos deuses. De repente, Abraão recebeu uma visita do único e verdadeiro Deus Criador, que disse, com efeito: "Escolhi você para tornar-se meu modelo de homem de fé. Por meio de meu relacionamento com você e com seus descendentes, redimirei o mundo do pecado e do mal".

O Senhor então arrancou o casal de sua vida confortável e previsível. Dali em diante, eles aprenderam a depender inteiramente de Deus para obter proteção e provisão. Abraão estava com 75 anos na época; Sara tinha 65. Eles haviam se casado cerca de cinquenta anos antes de sua jornada de fé se iniciar.

O casal partiu para um destino que ainda seria revelado por Deus. Não sabiam para onde Deus os estava mandando, e não possuíam mapa, guia de viagem ou GPS. Aquele homem e sua esposa viajaram estritamente pela fé. Depois de cinquenta anos de casamento, seu estilo de vida mudou por completo. Deus os chamou para uma vida nômade, física e espiritualmente. Eles deveriam viver em uma terra que ainda não lhes pertencia, a fim de que estabelecessem seu lar permanente no fiel cuidado divino.

A história fica ainda mais notável quando se tem em mente que Abraão e Sara não eram recém-casados ao se tornarem nômades. Eles se aventuraram pelo desconhecido durante aquilo que, para eles, já era a meia-idade.

Abraão e Sara passaram por muitas provações e sofrimentos, às vezes falhando e às vezes vencendo. Finalmente, depois de 112 anos de vida conjugal, a jornada de fé empreendida por Sara chegou ao fim. Ela morreu, e sua fé tornou-se conhecida.

Quer você seja casado, quer não, todos nós precisamos de companhia para a jornada de fé. Deus nos designou para vivermos em comunidade, e não para viajarmos sozinhos.

Reflexão

Quem são seus companheiros na jornada de fé? Agradeça a Deus por essas pessoas e busque maneiras de se apoiarem mutuamente ao longo do caminho.

> Sozinha, a pessoa corre o risco de ser atacada e vencida, mas duas pessoas juntas podem se defender melhor. Se houver três, melhor ainda, pois uma corda trançada com três fios não arrebenta facilmente.
>
> Eclesiastes 4.12

Confirmação

É melhor seguir a Deus com os olhos fechados, tendo-o como nosso guia, do que, confiando em nossa própria prudência, vaguear por caminhos tortuosos que inventamos para nós.

João Calvino

Então o servo orou: "Ó Senhor, Deus do meu senhor Abraão, por favor, dá-me sucesso hoje e sê bondoso com meu senhor Abraão. [...] Esta é a minha súplica. Pedirei a uma delas: 'Por favor, dê-me um pouco de água do seu cântaro pra eu beber'. Se ela disser: 'Sim, beba. Também darei água a seus camelos', que seja ela a moça que escolheste para ser mulher do teu servo Isaque".

Gênesis 24.12,14

Quando começou a envelhecer, Abraão percebeu que era hora de encontrar uma esposa adequada para Isaque. Para essa importantíssima tarefa, chamou Eliézer, seu empregado mais confiável. Tarefa tão especial não seria dada a nenhum outro homem. "Jure pelo SENHOR, o Deus dos céus e da terra, que não deixará meu filho se casar com umas das mulheres canaanitas que aqui vivem, mas irá à minha terra natal, aos meus parentes, procurar uma mulher para meu filho Isaque" (Gn 24.3-4).

Eliézer entendia a importância da tarefa, por isso sua reação imediata foi mergulhar o processo em oração. Ele pediu ao Senhor um sinal claro que lhe mostrasse qual era a mulher certa para Isaque.

Diante de grandes decisões, podemos aprender alguma coisa com Eliézer. Tendo dito isso, não recomendo fazer testes específicos ou estabelecer parâmetros para o Senhor. Não é assim que Deus trabalha hoje. Eliézer não dispunha das Escrituras nem da orientação interna do

Espírito Santo. Contudo, ele de fato tinha a promessa de Abraão, segundo a qual Deus providenciaria uma direção sobrenatural.

E o Senhor respondeu à oração de Eliézer. Uma mulher chamada Rebeca veio até o poço e tirou água para ele e seus camelos. Ela foi a escolha de Deus para Isaque, confirmada por um sinal. Embora Deus não nos mande sinais tangíveis todos os dias, ele nos guia por meio de sua Palavra e pela orientação do Espírito Santo. Nossa tarefa é perguntar a ele — e então ouvi-lo.

Reflexão

Em algum momento de sua vida você percebeu um claro sinal da direção de Deus? Como você pode se tornar mais atento à orientação divina?

Quando vier o Espírito da verdade,
ele os conduzirá a toda a verdade.
João 16.13

Disposto a ir

Fé é dar o primeiro passo mesmo quando não se pode ver a escada inteira.

Martin Luther King Jr.

"Pois bem", disseram eles. "Chamaremos Rebeca e pediremos a opinião dela." Chamaram Rebeca e lhe perguntaram: "Você está disposta a ir com este homem?". E ela respondeu: "Sim, estou".

Gênesis 24.57-58

Em resposta à oração de Eliézer, o Senhor o direcionou a uma mulher do clã familiar de Abraão — uma mulher de caráter incomum que adorava o único e verdadeiro Criador. E, como cereja do bolo, ela era linda! Quase todos os semáforos já exibiam a luz verde, mas ainda faltava um... Rebeca estaria disposta a ficar oitocentos quilômetros distante de tudo que lhe era familiar para casar-se com um completo estranho?

Tratava-se de uma grande decisão, por isso a família propôs reservar dez dias para discutir o assunto. Mas o servo insistiu em retornar de imediato, certo de que a mão do Senhor o estava guiando. Então, perguntou à Rebeca se ela desejava ir com ele. Sem hesitação, ela respondeu: "Sim, quero".

Ela nunca havia colocado os olhos em Isaque. Conhecera Eliézer apenas algumas horas antes. Mas ouvira o suficiente para saber que o Senhor havia soberanamente arranjado seu casamento. Não demorou muito e Rebeca, acompanhada de algumas servas, iniciou a viagem rumo ao sul para se encontrar com o futuro marido.

Em muitos aspectos, Rebeca demonstrou o mesmo tipo de fé de sua falecida sogra quando esta saiu de Ur com Abraão. A exemplo de Sara, essa jovem deixou sua existência estável entre os seus para tornar-se nômade com o esposo. Rebeca se dedicou a uma vida de fé, sem saber para onde isso a levaria ou o que poderia encontrar pelo caminho.

Talvez Deus o esteja chamando para ir a algum lugar. Você não tem as informações completas, não sabe todos os detalhes e pode nunca ter visto as pessoas com quem se juntará. Mas, se a mão de Deus está nesse chamado, pode confiar que ele será fiel. Você pode dizer sim, apesar das incógnitas.

Reflexão

Para o que Deus está chamando você nesta etapa de sua jornada de fé? Qual o primeiro passo que você pode dar hoje?

> Entre seu caminho ao Senhor;
> confie nele, e ele o ajudará.
>
> Salmos 37.5

NUNCA É TARDE DEMAIS

Idade não é apenas decadência; é o amadurecimento, o crescimento de nosso interior, que murcha e então irrompe a casca.

GEORGE MCDONALD

Abraão viveu 175 anos e morreu em boa velhice, depois de uma vida longa e feliz.

GÊNESIS 25.7-8

Você já pensou em como espera morrer? Não me refiro necessariamente à morte literal; na verdade, estou perguntando como você deseja viver até o dia em que morrer. Qual será a condição de sua mente e de seu coração quando a morte chegar? Como passará seus dias antes de dar o último suspiro?

Infelizmente, muitas pessoas morrem bem antes de suspirarem pela última vez. Elas não buscam mais toda a alegria, todo o propósito, toda a satisfação que a vida pode lhes oferecer. Devemos ter como alvo jamais envelhecer. Não digo isso no sentido cronológico; refiro-me àqueles que se tornaram velhos em atitude.

Pessoas desse tipo compartilham algumas características. A primeira delas é o *narcisismo*. "Tudo gira em torno de mim." É uma mentalidade extremamente egoísta, que, na prática, afirma: "Conquistei meu direito de ser infeliz". O fato é que a vida é um presente. Que privilégio é viver!

O narcisismo leva, então, ao *pessimismo*. O pessimista lamenta e reclama: "Não tenho nada com que contribuir. Meu passado não tem sentido, e meu futuro é desanimador".

O pessimismo, por sua vez, leva ao *fatalismo*. A pessoa vive sob a perspectiva da morte: "A única coisa que está diante de mim é a sepultura". O pessimista nada vê de interessante ou de importante no horizonte e não tem senso de propósito.

Ao enfrentar o terço final de sua vida, Abraão não mostrou nenhuma dessas características. Depois de cerca de 112 anos de casamento, sua amada Sara faleceu. Mas Abraão sabia que Deus é quem decide as questões de vida e morte, e não nós. Assim, o patriarca envelhecido seguiu firme.

Abraão continuou a experimentar uma vida plena. Espero que a nova vida de Abraão leve você a perguntar a Deus: "Qual futuro o Senhor tem para mim?".

Reflexão

Você já teve problemas com o narcisismo, o pessimismo ou o fatalismo? A quais verdades você pode se apegar quando essas lutas aparecerem em sua vida?

> Prossigo para o final da corrida,
> a fim de receber o prêmio celestial
> para o qual Deus nos chama em
> Cristo Jesus.
>
> Filipenses 3.14

Doe enquanto está vivo

Aquele que espera fazer muito bem de uma só vez nunca fará nada.

Samuel Johnson

Abraão deu tudo que possuía a seu filho Isaque. Antes de morrer, porém, deu presentes aos filhos de suas concubinas e os separou de Isaque, enviando-os para as terras do leste.

Gênesis 25.5-6

Antes de morrer, Abraão cuidou de todos os seus filhos, garantindo que cada um deles estivesse financeiramente estabelecido ao sair do ninho e iniciar a própria família. Ele evidentemente havia aprendido com o erro que cometera com Ismael e Hagar, a quem mandara embora sem as provisões adequadas.

Muitos anos atrás, um sábio e piedoso planejador financeiro me convenceu de que Cynthia e eu deveríamos compartilhar nossas heranças *antes* de morrermos. Ele gostava de citar este velho ditado: "Doe enquanto vive, pois assim saberá para onde vai sua doação!". Por que esperar até que esteja morto para, só então, seus descendentes e outros beneficiários poderem desfrutar aquilo que você conquistou e poupou?

Abraão optou por doar enquanto estava vivo. Em vida, ele ajudou seus seis filhos com Quetura a se estabelecerem; também ajudou Ismael em suas necessidades. Em razão de sua imensa riqueza, ele ainda foi capaz de deixar uma vasta fortuna nas mãos de Isaque, que herdou seus bens.

Eu acredito que esse sábio planejamento foi uma das razões pelas quais Abraão conseguiu ter paz em seus últimos dias. "E morreu em boa velhice, depois de uma vida longa e feliz" (Gn 25.8).

A expressão "feliz" traduz a palavra hebraica *sahbah*, que significa literalmente "estar pleno". Abraão morreu com um sorriso. Pleno em idade. Pleno em satisfação. Pleno em contentamento. Quando olhava nos olhos de seus filhos e de seus netos, ele podia envolver-se com eles sem culpa na consciência. Ele deu de si e compartilhou seus recursos.

Reflexão

Você tem experimentado a alegria de compartilhar sua riqueza enquanto está vivo, como fez Abraão? Em caso negativo, como você pode dar os primeiros passos para fazê-lo?

> Agora irei visitá-los pela terceira vez e não serei um peso para vocês. Não quero seus bens; quero vocês. Afinal, os filhos não ajuntam riquezas para os pais. Ao contrário, são os pais que ajuntam riquezas para os filhos.
>
> 2Coríntios 12.14

Terminando bem

Todo strike *me aproxima do*
próximo home-run.

Babe Ruth

[Abraão] deu o último suspiro
e, ao morrer, reuniu-se a seus
antepassados. Seus filhos Isaque e
Ismael o sepultaram na caverna de
Macpela, perto de Manre, no campo
de Efrom, filho de Zoar, o hitita.

Gênesis 25.8-9

Não chore por Abraão. Não lamente sua morte. Não sinta pesar por sua partida. Alegre-se! Celebre-o! Olhe para o que ele fez em seus dias neste mundo. Observe como ele usou seus recursos.

Tenho dito desde o início que a história de Abraão é a nossa história. Essa narrativa particular de como ele viveu seus últimos dias e então morreu como um homem feliz guarda pelo menos dois segredos valiosos para que nós também terminemos bem. Um deles tem a ver com fidelidade; o outro, com diligência.

O primeiro segredo: *Lembre-se fielmente de que cada dia oferece oportunidades para você permanecer jovem de coração.*

A cada manhã você se levanta com a oportunidade de viver bem um novo dia, de encarar as próximas 24 horas como uma série de escolhas. O Senhor concedeu a você um interesse genuíno em relação àquilo que o dia lhe reserva. Escolha uma atitude positiva. Escolha buscar coisas boas e concentrar-se nelas.

Escolha encarar suas oportunidades com uma ansiedade positiva. Escolha deixar de lado suas expectativas e, então, abrace aquilo que Deus decidir fazer. Escolha viver em um estado constante de surpresa ao deixar de lado a sua vontade e permitir que a vontade de Deus se revele.

O segundo segredo: *Recuse-se diligentemente a desistir*.

Firme o propósito de que nunca deixará de viver até que tenha dado seu ultimo suspiro. Nunca pare. Nunca desista.

Um biógrafo do jogador de beisebol Satchel Paige escreveu: "Tendo ouvido constantemente que a vida dos negros é menos importante que a vida dos brancos, ele provocava os jornalistas adicionando ou subtraindo anos cada vez que lhe perguntavam sua idade. Depois, questionava: 'Quantos anos você teria se não soubesse quantos anos tem?'".

É uma pergunta que nos leva a pensar, não é? Então, quantos anos você tem?

Reflexão

Como seria para você permanecer jovem em seu coração? Há alguma busca que você abandonou e precisa retomar com paixão renovada?

> Portanto, não nos cansemos de fazer o bem. No momento certo, teremos uma colheita de bênçãos, se não desistirmos.
>
> Gálatas 6.9

Amigo de Deus

A oração é nada mais, nada menos que
um trato de amizade com Deus.

Teresa D'Ávila

E aconteceu exatamente como as Escrituras dizem: "Abraão creu em Deus, e assim foi considerado justo". Ele até foi chamado de amigo de Deus!

Tiago 2.23

Intercâmbios diretos entre Deus e indivíduos não ocorrem com frequência nas Escrituras. Nesse caso, porém, o intercâmbio de Abraão assume a forma de um verdadeiro diálogo, uma conversação que flui entre amigos. Mas não se engane: embora os dois compartilhem dessa notável e livre troca de ideias, Deus não se tornou um mero "camarada" de Abraão. Abraão nunca perdeu a reverência pela impressionante e santa onipotência do Senhor; aliás, ele construiu mais de um altar com o propósito de sacrificar ao Deus a quem prestava adoração.

No Oriente Médio hoje, algumas pessoas se referem a Abraão como *Khalil Allah*, que significa "amigo de Deus", ou simplesmente *El Khalil*, "o amigo". Ele recebeu esse nome não porque escolheu favorecer a Deus (a verdade é exatamente o oposto) ou porque sua bondade moral teria conquistado o coração divino. Afinal, ele era um politeísta ignorante e supersticioso — como seus pares — quando Deus o chamou em Ur. Abraão carrega esse título honroso porque Deus lhe deu todas as bênçãos que acompanham a amizade e, pela fé, ele as recebeu.

O apóstolo Paulo escreve: "Portanto, uma vez que pela fé fomos declarados justos, temos paz com Deus por causa daquilo que Jesus Cristo, nosso Senhor, fez por nós" (Rm 5.1). O fato de Jesus Cristo, o Filho de Deus, ter satisfeito todos os requisitos de moralidade em nosso favor e ter sofrido as consequências de nossas falhas morais permite que, legitimamente, chamemos Deus de nosso Amigo. Além disso, desfrutamos os mesmos benefícios da amizade divina recebidos por Abraão.

Reflexão

Que bênçãos decorrem de ser amigo de Deus? Como sua perspectiva muda quando você se dá conta de que Deus escolheu ser seu amigo?

> Pois, se quando ainda éramos inimigos de Deus nosso relacionamento com ele foi restaurado pela morte de seu Filho, agora que já estamos reconciliados certamente seremos salvos por sua vida.
>
> Romanos 5.10

Fora da zona de conforto

Se estamos crescendo, estamos sempre saindo de nossa zona de conforto.

John Maxwell

Pela fé, Abraão obedeceu quando foi chamado para ir à outra terra que ele receberia como herança. Ele partiu sem saber para onde ia.

Hebreus 11.8

Hebreus 11 tem sido chamado de "galeria da fé", e há boas razões para tal. Começando com algumas das primeiras pessoas a viver na terra, o autor traça a qualidade essencial da fé através da história hebraica, destacando dez grandes homens e mulheres. Abraão recebe destaque à medida que o autor avança pelos altos e baixos da jornada espiritual desse patriarca. Em um espaço curto, Abraão é avaliado e considerado digno de imitação.

A avaliação se inicia com estas palavras: "Pela fé Abraão..." (Hb 11.8). A expressão "pela fé" é a parte mais importante da história de Abraão. Ele reagiu com base no que acreditava — não porque fosse capaz de ver o que estava à frente, não porque havia tido uma visão do que o futuro lhe reservava, não porque havia calculado o retorno do investimento naquela aventura. "Pela fé" significa que ele prontamente trocou o conhecido pelo desconhecido, tudo porque confiou em Deus.

Grandes recompensas o aguardam se você obedecer sem conhecer todos os detalhes. Esse é um princípio que Deus quer que cada um de seus seguidores pratique. Aprender a confiar nele é como fazer uma jornada um passo de cada vez. A fé é construída sobre a fé. Quando confiamos, recebemos bênçãos inesperadas. Isso fortalece nossa confiança e nos inspira a confiar em Deus novamente à medida que damos o passo seguinte.

Deus quer que cresçamos na fé não apenas porque precisamos dele, mas também porque isso é bom para nós. A fé nos leva para além de nossa zona de conforto. *Muito* além. Precisamos conhecer a experiência de embarcar em uma empreitada que nunca tentamos antes. Precisamos saber que, com a ajuda de Deus, podemos enfrentar com segurança qualquer desafio e assumir o risco de encarar aquilo que parece acima de nossa capacidade. Precisamos saber que, quando Deus nos chama para uma tarefa, ele nos concede tudo de que precisamos para ser bem-sucedidos.

Reflexão

Em que ocasião Deus o chamou para fazer algo fora de sua zona de conforto? Quais recompensas e bênçãos vieram como resultado?

Então Abraão esperou com paciência,
e recebeu o que lhe fora prometido.
Hebreus 6.15

Fé nas promessas de Deus

Crer não significa ter esperança de que seja verdade, mas sim ter uma firme convicção.

Max Lucado

E, mesmo quando chegou à terra que lhe havia sido prometida, [Abraão] viveu ali pela fé, pois era como estrangeiro, morando em tendas.

Hebreus 11.9

No livro de Hebreus, Abraão é elogiado por crer nas promessas de Deus.

Deus chamou Abraão para se mudar para uma região onde não conhecia uma alma sequer. Não tinha lugar permanente onde pudesse viver, nenhuma comunidade na qual confiar e obter apoio e ninguém a quem recorrer em tempos difíceis. Quando deixou Ur, deixou também a segurança de uma residência fixa. Foi capaz de viver longe de comunidades humanas consolidadas e seguras simplesmente porque "esperava confiantemente pela cidade que tem alicerces eternos" (Hb 11.10).

Foi também sustentado pela promessa divina de que teria um filho. Muitos anos depois de Abraão, Paulo comentou sobre a capacidade desse patriarca de suportar circunstâncias difíceis e permanecer obediente ao longo de tantos anos de espera: "E sua fé não enfraqueceu, embora ele soubesse que, aos cem anos, seu corpo, bem como o ventre de Sara, já não tinham vigor" (Rm 4.19).

Quer vivendo em tendas em terra estrangeira, quer desafiando as probabilidades de gerar um filho, Abraão creu na promessa. Ele acreditou no que Deus lhe dissera.

Você acredita em Deus? Se ele diz alguma coisa em seu Livro, você procura maneiras de esquivar-se do assunto? Ou você vê as ordens divinas como oportunidade pessoal de viver pela fé? Não deixe que a dificuldade de uma escolha o impeça de aceitar o desafio de fazer o que o Senhor pede. Não deixe os obstáculos o privarem de confiar em Deus. Não raro, as circunstâncias lhe serão desfavoráveis. Verdade seja dita, é possível que você se veja sem saída diante de situações extremamente aflitivas. Quem vive pela fé não se concentra em atuários ou estatísticas. Quando Deus diz: "Vá!", as pessoas de fé não desperdiçam tempo calculando as probabilidades. Elas obedecem às instruções divinas e se recusam a viver às margens do medo.

Reflexão

Como você responde quando Deus diz: "Vá!"? A quais promessas de Deus você precisa se apegar hoje?

> Em nenhum momento a fé de Abraão na promessa de Deus vacilou. [...] Abraão estava plenamente convicto de que Deus é poderoso para cumprir tudo que promete.
>
> Romanos 4.20-21

A PRÓXIMA GERAÇÃO

O que você deixa para trás não é o que é gravado em monumentos de pedra, mas o que é tecido na vida de outros.

PÉRICLES

E agora que pertencem a Cristo, são verdadeiros filhos de Abraão, herdeiros dele segundo a promessa de Deus.

GÁLATAS 3.29

A Bíblia não procura retratar seus heróis de outra forma senão como pessoas reais, com falhas reais. Consequentemente, Abraão se torna real não pela ausência de fragilidades, mas por causa delas. Assim como todas as pessoas reais, ele teve fraquezas. Algumas dessas falhas nos causam decepção, mas elas nos ajudam a ver o homem completo. E também nos ajudam a aprender como devemos considerar nossas próprias mazelas.

Uma das falhas de Abraão foi ter recorrido à mentira quando sua vida corria riscos. Enquanto esteve no Egito durante a fome, a fim de salvar a própria pele ele acabou mentindo ao faraó dizendo que Sara era sua irmã. Mesmo depois de o esquema ter sido desmascarado, agiu da mesma forma anos depois!

Não importa se esse horrível traço de personalidade foi herdado geneticamente ou aprendido por meio de exemplo, a verdade é que Isaque puxou-o de seu pai. Muitos anos depois, quando Abraão já havia morrido,

Isaque mudou-se para perto da cidade filisteia de Gerar. "Quando os homens do lugar lhe perguntaram sobre a sua mulher, ele disse: 'Ela é minha irmã'. Teve medo de dizer que era sua mulher, pois pensou: 'Os homens deste lugar podem matar-me por causa de Rebeca, por ser ela tão bonita'" (Gn 26.7).

Parece familiar, não é?

Se você tem filhos, compartilhe com eles seus erros passados e ajude-os a aprender com os erros que você cometeu. Eles não vão desconsiderá-lo; vão, isto sim, admirar sua autenticidade. Eles se sentirão mais próximos de você. Sua humildade os fará aproximar-se de você e lhes dará a coragem de confessar as lutas que eles próprios enfrentarem.

Assim como fez com Abraão, Deus pode nos usar para seu propósito a despeito de nossas falhas. E, assim como o grande patriarca, nós também podemos transmitir um legado de fé para a próxima geração.

Reflexão

Que legado você gostaria de deixar para a próxima geração? Como você pode fazer de sua vida um exemplo de fé?

> Não esconderemos essas verdades
> de nossos filhos; contaremos
> à geração seguinte os feitos
> gloriosos do Senhor.
>
> Salmos 78.4